Calamity Mamie

MIXTE
Papier issu de
sources responsables
FSC® C022030

© Première édition, collection Première Lecture, Éditions Rouge et Or, Paris
© 1995 Éditions Nathan (Paris-France)
© 2011 Éditions NATHAN, SEJER, 25 avenue Pierre de Coubertin, 75013 paris
pour la présente édition
Loi n° 49-956 du 16 juillet 1949 sur les publications destinées à la jeunesse,
modifiée par la loi n° 2011-525 du 17 mai 2011.
ISBN : 978-2-09-253498-4
N° éditeur : 10221134 - Dépôt légal : août 2011
Imprimé en janvier 2016 par Pollina, 85400, Luçon - L74771A

ARNAUD ALMÉRAS

Illustrations de Jean-Louis Besson

C'était mercredi, le jour

où on va chez mamie.

Élise et moi,

on était tout excités,

et on chantait :

On va chez Calamimy,

on va chez Calatity,

chez Calamity Mamie !

Calamity Mamie, ce n'est pas
vraiment son nom. C'est papa
qui l'appelle comme ça
pour se moquer un peu d'elle.

C'est vrai qu'elle fait parfois
des bêtises, notre mamie.
« Elle est un peu follette »,
comme dit maman.
Quand on est arrivés,
on a embrassé mamie
et on a couru dans la chambre
de maman quand elle était petite.

On adore farfouiller
dans le grand coffre
plein de déguisements !
Moi je me suis habillé en prince,
et Élise s'est déguisée
en n'importe quoi,
parce qu'elle voulait mettre
un chapeau de cow-boy
avec sa robe de princesse !

– Comme vous êtes beaux !
nous a dit mamie.

Ses yeux se sont mis à briller,
et elle a dit :
– J'aimerais bien me déguiser,
moi aussi.

Mamie a mis
une grande robe rose, des bottes
et un chapeau pointu.
– Voilà, je suis une fée…
Ah ! il me manque
ma baguette magique,
où est-elle passée ?

On jouait avec mamie
quand la cloche a sonné.
C'était le facteur qui apportait
un paquet. Quand il a vu
mamie arriver, il l'a regardée
avec un drôle d'air, puis il a fait
une grimace bizarre.
Il ne devait pas avoir l'habitude
de voir des fées…

Ensuite on est allés au marché
avec mamie. On s'est arrêtés
devant le monsieur qui vend
des bonbons. Mamie
nous en a acheté, et elle nous a dit :
– Vous pouvez en manger
un ou deux, mais pas plus,
parce qu'on va bientôt déjeuner.

Mamie adore les rouleaux
de réglisse. Pour lui faire plaisir,
je lui en ai donné plein.
Elle les a tous mangés en rentrant
du marché et, pendant le repas,
elle n'a pas touché à son assiette.
– C'est bizarre, je me sens
barbouillée, nous a-t-elle dit.

Après le déjeuner, on est allés
dans le jardin. Pendant qu'Élise
s'amusait dans le petit bac à sable,
mamie jouait au foot avec moi.
– Et hop ! criait-elle
en shootant dans le ballon.

Quand c'était mon tour de taper,
elle disait : « Vas-y, Papin ! »
À un moment, mamie a dit :
« Hop » ! et le ballon est passé
par-dessus le mur. Et juste après,
on a entendu « GLING ! ».

Deux minutes plus tard,
Gérard, le voisin, est arrivé
avec le ballon sous le bras.
– Vous pourriez faire attention,
les enfants, nous a-t-il dit.
Vous venez de casser un carreau…
Mamie s'est excusée :
– C'est de ma faute, c'est moi
qui ai tapé dans le ballon.
– Ah ! J'aurais dû m'en douter !
a dit le voisin.
Il s'est mis à rire :
– Jouer au foot, ce n'est plus
de votre âge !
Et Calamity Mamie s'est mise
à rire aussi. Quand elle rit,
elle a les yeux tout plissés,
on dirait une Chinoise.

C'était déjà l'heure du goûter.
Mamie nous a fait un chocolat
avec du pain grillé
et de la confiture de groseilles,
c'est ma confiture préférée.
Puis je suis retourné jouer
dans le jardin avec Élise.
Quand il a commencé
à faire sombre,
mamie nous a appelés :
– Au bain, les enfants !

Mamie a fait couler l'eau ;
pendant ce temps-là,
on s'est déshabillés.
Mamie a aidé Élise,
parce qu'elle est petite.
– Tu peux mettre de la mousse ?
j'ai demandé à mamie.
　Elle a pris le flacon de bain
moussant, et il est tombé
dans la baignoire.

– Oh ! Comme je suis
maladroite ! s'est écriée mamie.

Juste à ce moment-là,
le téléphone s'est mis à sonner.

– Je reviens, nous a dit mamie.

Et elle est descendue répondre.

Pendant qu'elle téléphonait,
le bain a moussé, moussé,
il y avait de la mousse
presque jusqu'au plafond !
Élise et moi, on jouait
à cache-cache et on faisait
les fous dans la salle de bains.
On aurait dit qu'on était
dans la neige jusqu'au cou !

Quand mamie est revenue,
elle a crié : « Quelle catastrophe ! »
et elle a vite fermé les robinets.
Je lui ai dit :
– Avec toute une bouteille
de bain moussant,
on va être très, très propres !
– Je suis vraiment une calamité !
a ajouté mamie, et elle s'est mise
à rire, en faisant ses petits yeux
de Chinoise.

Après le bain, mamie
nous a raconté
Le Petit Chaperon rouge.
Au moment où elle lisait :
« Tire la chevillette,
et la bobinette cherra »,
la cloche s'est mise à sonner :
c'était papa. Il a écouté la fin
de l'histoire avec nous,
et ça avait l'air de lui plaire.

– Ça me rappelle quand j'étais petit,
a-t-il dit, ma grand-mère me lisait,
elle aussi, des histoires…

Puis il nous a demandé :

– J'espère que vous avez été sages.
Vous n'avez pas fait de bêtises ?

On n'a pas eu le temps
de répondre, mamie a dit :

– Les enfants ont été très sages,
mais moi j'ai fait
quelques bêtises…

Et on a souri tous les trois,
en se souvenant des bêtises
de Calamity Mamie.

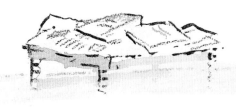

À cet instant, la cloche a sonné
une nouvelle fois. C'était Édith,
l'amie de Calamity Mamie.
– Édith ! Oh ! J'avais oublié
qu'on allait au cinéma !
s'est écriée mamie.
Mais où est mon sac ?
    Et on a tous cherché son sac.
Ce n'était pas facile, parce que
chez Calamity Mamie,
c'est un peu le bazar.

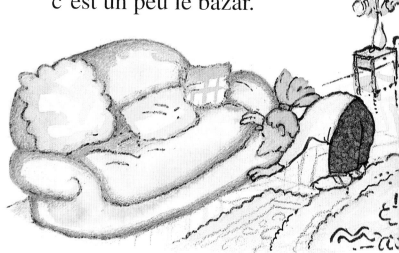

Quand on l'a retrouvé,
mamie a dit :
– Mais où sont mes clés ?
  Et on a tous cherché
les clés de Calamity Mamie.
– On va être en retard,
je sens qu'on va être en retard,
répétait mamie.

On a enfin trouvé les clés
de mamie, et on est tous sortis
devant la maison.
Mamie nous a embrassés,
puis elle est vite montée
dans la voiture d'Édith.
On lui a fait au revoir de la main,
en la regardant s'éloigner.
Papa riait :
– Votre mamie,
c'est un sacré numéro !

Soudain, au bout de la rue,
la voiture a fait demi-tour et
nous a rejoints. Calamity Mamie
est sortie en criant :
– Mes lunettes !
J'ai oublié mes lunettes !

Arnaud Alméras

Pour écrire cette histoire, il a bien observé la grand-mère de ses filles Camille, Chloé et Léa… Calamity Mamie lui ressemble beaucoup !

Jean-Louis Besson

Est né à Paris en 1932. Après avoir consacré ses études à illustrer ses cahiers de brouillon, il a travaillé pour la publicité, la télévision et bien sûr l'édition de toutes sortes de livres.

premiers romans

Tous les jours, c'est foot !

Une série écrite par Hubert Ben Kemoun,
Illustrée par Régis Faller

« À la récréation après la cantine, il y a toujours foot.

Tous les garçons jouent, sauf moi.

Ils prétendent que je ne cours pas assez vite.

Même comme gardien, les copains ne veulent pas de moi dans leur équipe.

Ils disent :

– Nicolas, t'es pas un goal, t'es une passoire !

Je serais d'accord pour être arbitre, mais ils trouvent que je ne connais pas assez bien les règles.

C'est que le foot, c'est drôlement sérieux. »

Devenir un pro du foot, ça n'intéresse pas Nico.
Tout ce qu'il veut, c'est jouer avec ses copains.
Comment faire pour les convaincre de l'accepter
sur le terrain ?